찰리의 깜짝 생일 파티

SEOUL, 2013

찰리의 깜짝 생일 파티

초판 제1쇄 발행일 2013년 4월 20일
초판 제22쇄 발행일 2022년 3월 20일
글 힐러리 매케이 그림 샘 헌 옮김 지혜연
발행인 박헌용, 윤호권 발행처 (주)시공사
주소 서울시 성동구 상원1길 22, 6-8층 (우편번호 04779)
대표전화 02-3486-6877 팩스(주문) 02-585-1247
홈페이지 www.sigongsa.com/www.sigongjunior.com

Charlie and The Big Birthday Bash
Text copyright ⓒ Hilary McKay, 2009
Illustrations copyright ⓒ Sam Hearn, 2009
All rights reserved.
Korean translation copyright ⓒ 2013 by Sigongsa co., Ltd.
This Korean edition is published by arrangement
with Scholastic Limited through Kids Mind Agency, Seoul.

ISBN 978-89-527-8650-0 74840
ISBN 978-89-527-5579-7 (세트)

*시공사는 시공간을 넘는 무한한 콘텐츠 세상을 만듭니다.
*시공사는 더 나은 내일을 함께 만들 여러분의 소중한 의견을 기다립니다.
*잘못 만들어진 책은 구입하신 곳에서 바꾸어 드립니다.

KC마크는 이 제품이 공통안전기준에 적합하였음을 의미합니다.
제조국 : 대한민국 사용 연령 : 8세 이상
책장에 손이 베이지 않게, 모서리에 다치지 않게 주의하세요.

찰리의 깜짝 생일 파티

힐러리 매케이 글 · 샘 헌 그림

지혜연 옮김

시공주니어

차례

제1장

화요일, 생일잔치 나흘 전
멋진 아이디어가 생각난 날

찰리네 집은 아주 멋진 거리에 자리 잡고 있었다.
막다른 길이라 자동차도 많이 다니지 않아서, 언제든
마음 놓고 나가 놀 수 있었다. 인도가 넓어서 스쿠터나
롤러스케이트도 탈 수 있었다. 고양이들이 이리저리
돌아다녀도 차에 치일 염려가 없고, 날씨가 따뜻하면
현관문을 활짝 열어 둘 수 있고, 강아지들은 마음대로
정원에서 잠을 자기도 했다. 찰리는 어느 집에 누가

사는지 다 알고 있었다.
그중에는 단짝 친구 헨리와
애완동물을 엄청나게 많이
기르는 룰루처럼 찰리랑
친한 친구도 있었다.
그럭저럭 알고 지내는
사람들도 있고, 아주

끔찍한 적들도 있었다. 그래서
찰리는 자기가 사는 거리가 흥미로운 곳이라고
생각했다.

　찰리는 수지라는 고양이, 엄마, 아빠 그리고 형
맥스와 함께 살았다.
　수지는 고양이치고는 괜찮은 편이었다.
　찰리네 부모님도 부모님치고는 괜찮은 편이었다.
　하지만 맥스는 정말 좋은 형이었다.

맥스는 찰리가 자기 물건을 빌려 가도 거의 화를
내는 법이 없었다.

맥스가 해 준 숙제는 늘 높은 점수를 받았다.

맥스는 손가락으로 휘파람을 부는 방법이나
천장의 뚜껑 문을 통해 다락방으로 올라가는
방법같이 근사한 일들을 오랜 시간을 들여 찰리에게
기꺼이 가르쳐 주었다.

찰리의 친구 헨리도 부러워했다.

"너한테 문제가 생기면 형이 늘 구해 주잖아."

헨리는 형도 동생도
없다. 헨리에게 곤란한
일이 생기면 그냥
그대로 있거나, 스스로
빠져나와야 한다.

헨리는 찰리에게
맥스 같은 형이 있는

건 행운이라고 말했다.

찰리는 이렇게 대답했다.

"흠, 나 같은 동생이 있는 건 형한테도 행운이지."

찰리가 맥스를 위해 하는 일도 있었다. 숙제같이
쓸모 있거나, 휘파람을 부는 것처럼 특별한 재주가
필요한 일은 아니다. 맥스가 찰리와 함께 헨리네
옆집에 사는 노란 자동차 주인아저씨에게 가서,
어쩌다가 축구화 한 켤레가 아저씨가 아끼는 노란
스포츠카 앞 유리창을 뚫고 들어갔는지 설명해 준
것처럼 용감한 일도 아니다.

찰리가 맥스를 위한답시고 하는 일은 형을 깜짝
놀라게 하는 일이었다.

찰리는 깜짝 놀라는 일이 이 세상에서 가장
멋지다고 생각했다. 따분한 것은 세상에서 가장
끔찍하기 때문이었다.

찰리가 맥스를 깜짝 놀라게 하기 위해 준비한

일들은…….

헨리의 컴퓨터로 맥스의 현상 수배 포스터를
만들어, 스쿨버스 정류장에 붙여 놓았던 일.

맥스의 침대에 야생 동물들을 넣어 두었던 일.

맥스의 숙제 알림장에 깜짝 놀랄 만할 메모를 적어
두었던 일.

그중에서도 가장 멋지고 기발하고 놀라운 일은
맥스가 현관 밖에 장화를 벗어 둔 날 벌어졌다.
찰리는 맥스의 장화에 물을 채워 밤새 냉동실에 넣어
얼렸다.

그리고 아침에 다시 현관에 꺼내 놓았다.

맥스는 장화를 직접 보고도 믿을 수가 없었다.

맥스는 모든 사람들에게 장화를 보여 주었다. 그리고
모든 친구들에게 전화를 걸었다. 그다음부터 맥스는
일기 예보를 꼭 챙겨
들었다.

맥스는 정말, 정말 깜짝
놀랐다.

지금 찰리는 그 어느
때보다 맥스가 깜짝 놀랄 일을 계획하고 있었다.

"이번 주말이 형의 생일이야."

학교에서 돌아오는 길에 찰리가 헨리에게 말했다.

"그런데 우리 형이 자기 생일 파티를 어떻게
한다고 했는지 알아?"

"어떻게 한다고 했는데?"

헨리는 신이 나서 물었다. 헨리와 찰리는 파티를
좋아해서 기회만 있으면 빠지지 않고 찾아다녔다.

"생일 파티를 안 한대."

헨리가 되물었다.

"생일 파티를 안 해? 생일
파티를 안 한다고?"

"그래."

"아니, 진짜 자기
생일인데, 진짜 파티를 안
한다고? 너 그 말 진짜야?"

찰리가 대답했다.

"그렇다니까."

"아니, 맥스 형이 무슨 짓을 했기에 엄마가 생일
파티를 안 해 주신대?"

헨리는 충격을 받은 듯한 목소리로 물었다. 헨리는
지난번 생일 파티 직전에 끔찍한 짓을 저지르는

바람에 아슬아슬하게도 하마터면 생일 파티가
취소될 뻔했다.

맥스의 생일 파티를 열어 주지 않는다니, 분명
그보다 더 심한 짓을 저지른 게 틀림없었다.

헨리는 궁금했다. 계단 밑에 있는 벽장에 보모를
가두고 잠자리에 들자마자 곯아떨어져 열 시간이나
잠을 잔 것보다 더 끔찍한 일은 무엇일까?

찰리가 대답했다.

"아무 짓도 안 했어."

"아무 짓도 안 해?"

"엄마가 생일 파티를 열어 주지 않겠다고 한 게
아니야. 맥스 형이 하지 않겠다고 했어! 형은 파티
같은 것은 필요 없대."

"형이 미쳤구나. 생일 파티를 해야 생일 때만 먹는
파티 음식을 먹을 수 있잖아!"

"맥스 형은 파티 음식을 싫어해."

헨리가 되물었다.

"뭐라고? 젤리와
소시지 빵을? 분홍색
비스킷이랑 감자 칩,
식어 빠진 피자를?
그 맛있는 음식들을
싫어한다고?"

"응. 형은 위에
얹는 크림 때문에
생일 케이크도
싫대. 그리고 파티에서 하는 놀이들도 다 시시하대.
그중에서도 춤추는 것을 제일 싫어해. 한번은 춤만
추는 파티에 갔는데 누군가 형에게 콩가(아프리카에서
생겨난 네 박자의 춤 : 옮긴이)를 추라고 했나 봐.
그래서 맥스 형은 유리창으로 빠져나와 버스를 타고
집으로 왔어. 형은 춤추는 게 겁난대!"

헨리가 반박했다.

"하지만 맥스 형은 용감하잖아. 노란 자동차
아저씨 앞에서 얼마나 용감했는지 생각해 봐!"

찰리도 인정했다.

"나도 알아. 맥스 형은 아주 용감해! 노란 자동차
아저씨뿐만이 아니야. 어젯밤에는 나를 늙은 으깬
감자한테서 구해 주었다니까."

'늙은 으깬 감자'란 애쉬 선생님을 가리키는
말이다. 찰리와 헨리는 애쉬 선생님을 '늙은 으깬
감자'라고 부른다. 찰리네 거리에 사는 끔찍하게
싫은 적 중 하나가 노란 자동차 아저씨이고 또 다른
적이 바로 늙은 으깬 감자 선생님이다. 늙은 으깬
감자 선생님은 찰리네 옆집에 살고, 맥스네 학교의
선생님이다. 늙은 으깬 감자 선생님은 수학을
가르쳤다.

찰리가 투덜거렸다.

"수학 선생님이 옆집에 산다고 생각해 봐! 차라리
식인종이 옆에 사는 게 낫지."

맥스는 애쉬 선생님을 싫어하지 않았다. 선생님네
정원의 잔디를 깎아 용돈을 벌기도 했다.

찰리가 말했다.

"그 선생님은 형을 좋아해. 형이랑 엄마, 아빠
그리고 수지도 좋아해. 그냥 나만 싫어한다니까."

그건 사실이었다. 애쉬 선생님은 한 번도 찰리와
친했던 적이 없다. 세 살 때, 찰리가 두 집 정원 사이의
울타리 아래에 구멍을
파고 몰래 들어가
선생님이 기르는
수선화를 몽땅 꺾은
적이 있었기
때문이다. 그러고는 다시

구멍으로 꽃을 끌고 와서, 뭉개지고 흙투성이가 된
꽃을 엄마에게 선물했다.

애쉬 선생님은 울타리 너머로 이렇게 말했다.

"아이, 귀여워라. 정말 저는 괜찮아요."

말은 그렇게 했지만 괜찮지 않았다. 애쉬 선생님은
찰리가 드나든 구멍을 돌멩이로 막아 버렸다.
그 이후로 애쉬 선생님은 찰리를 좋아하지 않았다.
선생님은 찰리가 울타리를 넘어오는 것도 싫어했다.
찰리가 분필로 인도 위에 그림을 그리는 것도
싫어했다. 찰리가 늙은 으깬 감자 노래를 만들어
부르며 자신을 놀렸을 때에도 애쉬 선생님은 찰리
엄마에게 고자질했다.

헨리가 물었다.

"아니, 늙은 으깬 감자 선생님에게 이번에는 또
무슨 짓을 했는데?"

"아무 짓도 안 했어! 선생님한테 무슨 짓을 한 게
아니야. 나는 그저 새로 산 호스로 얼마나 멀리까지
물을 뿌릴 수 있는지 알고 싶었을
뿐이라고. 물이 선생님네 정원까지
뿌려지자 화를 내는
거야. 손에 들고 있으면
살아 움직이는 듯한
무시무시한
호스를 산
사람은 우리 아빠인데,
그게 마치 내 잘못인 것처럼
말이야."

"그게 무슨 뜻이야? 손에 들고 있으면 살아
움직인다니?"

"내가 물을 제일 세게 틀었더니 그렇게 되더라고.
마치 거대한 뱀이 미친 듯이 움직이는 것 같았어!

전부 다 젖어 버렸지! 어쩔 수 없었다고.”

“늙은 으깬 감자 선생님이 다 젖었어?”

“아니, 뭐, 선생님은 거의 젖지 않았어. 널어놓은
빨래가 젖었을 뿐이야. 그런데 난리 법석을
떨더라고! 맥스 형이 나와서 공짜로 잔디를 깎아
준다고 해서 겨우 진정했어.”

헨리가 말했다.

“맥스 형은 진짜 멋지구나. 그러니까 형은 무슨
일이 있어도 생일 파티를 해야 해! 형에게 파티를
열어 줘야 한다고. 형이 싫다고 해도 말이지.”

찰리가 씨익 웃으면서 말했다.

“파티는 하게 될 거야. 나한테 멋진 아이디어가
있거든! 나는 형이 깜짝 놀랄…… 생일…….”

“파티!”

헨리가 신이 나서 찰리 대신 말을 끝냈다. 그러자
찰리가 말했다.

"생일잔치! 맥스 형이 생일 파티는 싫댔으니까, '생일잔치'를 열어 주는 거야."

제 2 장

수요일, 대망의 생일잔치 사흘 전
깜짝 파티에 필요한 모든 것

"잔치! 생일잔치!"

헨리는 노래를 불렀다. 헨리는 잔치라는 단어를
듣기만 해도 좋았다.

"생일, 오, 잔치! 오, 생일잔치! 생일생일!
잔치잔치!"

"시끄러!"

찰리는 걱정스러운 듯 주위를 두리번거리면서

덧붙였다.

"이건 비밀이야! 이번 생일잔치는 깜짝 파티여야
한다니까!"

헨리가 노래를 불렀다.

"입도 뻥긋 안 한다고. 절대 무슨 일이 있어도.
절대로! 오, 깜짝 파티다!"

찰리는 두꺼운 면 스웨터를 벗어서 헨리의 얼굴에
뒤집어씌웠다. 그렇게 헨리의 입과 눈을 가리고,

양쪽 소매를 묶었다. 그런 다음 헨리를 덤불숲으로
데리고 들어갔다. 가끔 헨리는 그렇게 다루어야 했다.
덤불숲으로 떠밀려 들어간 헨리는 얌전하게 굴었다.
다시 덤불숲에서 나왔을 때는 보통 때처럼 차분해져
있었다.

헨리가 말했다.

"우리 엄마가 파티를 준비할 때는 목록을
만드시던데. 누가 누가 오는지, 어떤 놀이를 할지,
어떤 음식을 준비할지. 그렇게 해야 제대로 준비가
된다고 하시면서 말이야."

찰리는 의외라는 듯 말했다.

"너희 집에서 연 파티는 제대로 준비가 되지
않았는데! 너희 엄마는 심지어 케이크도
깜빡하셨잖아. 파티는 괜찮았지만 준비가 철저했다고
할 수는 없어."

"원래 그렇게 할 예정이었다니까."

"아……."

헨리가 상처받은 듯한 목소리로 물었다.

"눈치 못 챘니?"

찰리는 헨리가 기분 상하지 않게 이렇게 대답했다.

"흠, 물론 알았지. 구급차가 간 다음에는 조금 차분해졌던 것 같아. 하긴 그것도 목욕통에 물이 넘치기 전까지였지만……. 헨리, 맥스 형의 생일잔치를 너희 집에서 열 수 있을까? 우리 집에서 하면 맥스 형이 우리가 준비하고 있는 것을 알아차리잖아. 그럼 깜짝 파티를 다 망칠 거라고."

"우리 집도 마찬가지야. 지난번 파티 (준비는 철저했어, 인정해 줘서 고맙지만) 이후에, 엄마가 다시는 파티를 열지 않을 거라고 하셨어. 절대, 죽어도 다시는 말이야. 사실 다음번에는 파티를 길거리에서 하겠다고 하셨어. 우리 집 현관을 잠가 두고 말이야."

찰리가 버럭 소리를 쳤다.

"헨리! 그거 딱이다!"

"뭐가 딱이야?"

"길거리 파티!"

찰리의 머릿속에는 벌써 거리에서 열릴 파티
풍경이 그려졌다. 많은 사람들, 즐거운 놀이 그리고
음악. 먹을 것으로 가득한 식탁. 풍선과 장식용 줄.

그리고 커다란
현수막······.
헨리는
궁금했다.
"길거리에서
파티를 할 수 있을까,
그게 가능할까?"
"물론 할 수 있지."
그러더니 찰리는 현수막을

만들기 위해 서둘러 집으로 달려갔다.

헨리는 터벅터벅 걸어 집으로 돌아가 엄마에게
물었다.

"엄마, 앞으로는 길거리에서 파티를 하겠다던 말이
진심이세요? 생일 파티 말이에요. 그렇게 해도
돼요?"

헨리 엄마가 끙 하고 신음 소리를 냈다.

헨리는 얼른 덧붙였다.

"제 생일 파티가 아니고요. 다른 친구 파티예요."

헨리 엄마는 흥미롭다는 듯 되물었다.

"찰리의 파티? 아니지, 찰리는 이미 생일 파티를
했잖아. 그렇지? 그럼 맥스?"

"그만 물어보세요. 비밀이에요. 아무튼 할 수
있어요?"

헨리 엄마가 대답했다.

"아주 좋은 생각이구나."

찰리는 색색 깃발을 길게
이어서 현수막을 만들었다.

깜짝 생일 축하 잔치

깃발 위에 밝은 색으로
커다랗게 글자를 쓴 다음,
찰리는 헨리에게
현수막을 보여 주러
갔다. 헨리네 집에서
끔찍하게 시끄러운 소리가 들리는 것을 보니 헨리가
리코더를 찾은 모양이었다.

헨리가 말했다.

"파티에는 음악이 있어야지."

찰리는 미심쩍어하며 물었다.

"그래? 그런데 라디에이터(따뜻한 물로 열을 내는
난로 : 옮긴이) 뒤에 떨어진 리코더는 어떻게

찾았어?”

헨리가 되물었다.

“아니, 리코더가 라디에이터 뒤에 떨어져 있었다는
걸 네가 어떻게 알아?”

“그냥 찍은 거지.”

“흠, 어쨌든 때맞춰 찾아내서 얼마나 다행이냐?
파티에 꼭 필요한 물건이잖아. 생각해 봐. 패스 더
파슬(음악을 틀고 둘러서서 옆 사람에게 꾸러미를
돌리다, 음악이 끝났을 때 꾸러미를 가진 사람이
술래가 되는 영국의 놀이로, 우리나라의
‘수건돌리기’와 비슷하다 : 옮긴이)도 할 수 있고,
뮤지컬 범프(음악을 틀고 춤을 추다가 음악이
멈추면 바닥에 주저앉는 놀이로, 가장 늦게 앉는
사람이 진다 : 옮긴이)도…….”

“그런 것들이 바로 맥스 형이 싫어하는
꼬맹이들의 놀이라니까.”

"노래방도……."

찰리가 물었다.

"네 리코더에 노래방 기능이 있어?"

"당연하지."

헨리는 자랑스럽게 대답하고는 리코더 교본
제1권 1쪽에 나와 있는 노래를 연주하기 시작했다.

〈반짝반짝 작은 별〉이라는 노래를 여섯 번쯤 들은 뒤, 찰리는 친구를 바닥에 패대기쳤다.

헨리 엄마는 쿵 하는 소리를 듣고 두 아이에게 밖에 나가 놀라고 명령했다.

헨리의 가슴팍에 올라탄 채 엉겨 붙어 있던 찰리가 헨리 엄마를 올려다보며 미소를 지었다.

"막 나가려던 참이었어요."

헨리가 덧붙였다.

"소리까지 지를 필요는 없다고요."

밖에는 멋진 노란색 스포츠카가 세워져 있었다. 축구화 사건 이후 깨끗이 수리한 것 같았다.

겉면에 여름날의 먼지가 뽀얗게 쌓여 있었다. 찰리가 슬쩍 손을 댔더니 반짝이는 노란색 손자국이 생겼다.

찰리와 헨리는 계속 파티 계획을 세웠다.

찰리가 말했다.

"음식들."

헨리는 리코더를 흔들어 침을 빼면서 말했다.

"음식도 있어야지. 아주 많이."

찰리가 고개를 끄덕이며 맞장구를 쳤다.

"그래, 아주 많이. 흠."

찰리는 고개를 끄덕거리면서, 자동차
보닛(자동차 엔진이 있는 앞부분의 덮개 : 옮긴이)
위에다 포크처럼 갈라진
혀를 날름거리는 긴
점박이 뱀을 그렸다.

헨리는 조금
걱정이 되는지
주의를 주었다.

"나 같으면 이런
장난은 하지 않을 거야."

찰리는 헨리의 말을

무시하고 뽀얀 먼지 위에 굵은 글씨로 '맥스'라고
썼다.

찰리가 헨리에게 말했다.

"형이 좋아하는 음식들을 전부 준비해야지."

헨리는 찰리한테서 몇 발짝 떨어지며 물었다.

"형이 좋아하는 음식이 뭔데?"

찰리는 긴 여행에서 돌아오는 길에 고픈 배를
움켜쥐고 자동차 뒷자리에 앉아 형과 함께 읊어
대던 음식들을 떠올려 보려고 애썼다.

찰리는 기억을 해냈다.

"사과파이, 마마이트(효모에서 추출한 짠맛의
소스로, 주로 빵에 발라 먹는다 : 옮긴이)를 바른
토스트……. 형은 많이 바르면 바를수록 좋아하지.
그리고 바나나……."

헨리가 말했다.

"하지만 그것만으로는 파티 하기에 부족하지."

"나도 알아. 생각해 보자……. 사과파이, 마마이트 토스트, 바나나……."

갑자기 헨리가 소리를 질렀다,

"찰리!"

"왜?"

헨리가 손가락으로 보닛을 가리켰다.

"넌 이제 죽었다."

먼지가 뽀얗게 앉은 멋진 보닛에 더 많은 그림이 그려져 있었다. 바나나, 여러 개의 토스트 그리고 커다란 사과파이까지.

헨리가 말했다.

"난 집으로 들어갈래."

찰리가 말했다.

"지워질 거야. 어쨌든 이제 안

그린다고."

　말은 그렇게 하면서도 찰리는 사과파이 위에 김이
모락모락 나는 무늬를 덧그렸다. 지금까지 그린
파이 중에 가장 잘 그린 그림이었다.
먹음직스러웠다.

　헨리가 말했다.

　"안녕."

　찰리는 헨리가 가 버린 것도 모른 채 중얼거렸다.

　"사과파이, 마마이트 토스트, 바나나, 그리고……
그리고……."

　맥스가 좋아하는 음식이 뭐였더라?

　찰리는 생각이 날 듯했다. 맥스가 '그중에서 내가
가장 좋아하는 건……' 하고 말하는 소리가 들리는
것 같았다.

　찰리는 거의 냄새도 맡을 수 있을 것 같았다.
냄새가 나는 것 같은데…….

"카레!"

찰리는 마침내 보닛 위에 의기양양하게 글자를 썼다.

누군가 짜증 난 목소리로 버럭 소리쳤다.

"헉!"

노란 자동차 아저씨가 현관문을 열어젖히고 그 자리에 서 있었다.

열린 현관문을 통해, 아저씨가 만들고 있던 카레 냄새가 풍겨 나왔다.

노란 자동차 아저씨가 으르렁거리며 소리를 질렀다.

"내가 이럴 줄 알았지! 내가 이럴 줄 알았다고!"

아저씨는 계속 똑같은

말을 큰 소리로 되풀이해 외쳤다. 자신이 금방 한 말인데 그런 줄도 모르는 모양이었다.

찰리는 아저씨가 자기 자동차에 그려진 낙서를 못마땅해한다는 것을 알 수 있었다. 찰리가 맥스의 생일잔치 계획을 짜다가 아무 생각 없이 그리게 되었다고 설명해도 아저씨의 화는 누그러지지 않았다.

노란 자동차 아저씨는 눈을 부릅뜨고 사과파이 그림을 노려보며 말했다.

"내가 이럴 줄 알았다니까!"

아저씨는 물 한 양동이를 가지고 와서는, 내내 투덜거리면서 자동차를 아주 조심스럽게 깨끗이 닦았다. 아저씨에게는 휘핑크림처럼 부드러운 거품이 뽀글뽀글 일고, 뽀드득거리며 잘 닦이는 멋진 스펀지가 있었다. 찰리도 그 스펀지를 한번 써 보고 싶었다. 그래서 아저씨에게 아주 공손한

태도로 몇 번이나 도와
드리겠다고 했다. 하지만 노란
자동차 아저씨는 절대 그럴
생각이 없는 것 같았다.
찰리가 하수구로 빠르게
흘러가는 거품들을 손으로
건져 올리는 것도

못마땅해했다. 찰리는 그 거품으로 헨리네 대문 밖
인도 위에 한여름날의 눈사람을 만들었다. 노란
자동차 아저씨가 집으로 터벅터벅 걸어가며
눈사람을 노려보았다.

아저씨가 현관문을 열자 또다시 카레 냄새가
풍겼다. 아저씨는 문 뒤로 사라졌다. 헨리가 다시
나타나 말했다.

"내가 뭐라 그랬냐!"

찰리는 한여름날의 눈사람을 눈덩이로 만들었다.

얼마 지나지 않아 헨리가 한여름 눈밭에서 찰리를
굴렸다.

그러는 와중에 또 카레 냄새가 강하게 풍겼다.
노란 자동차 아저씨가 아름다운 노란색 스포츠카에
비누 거품이 묻지 않게 감시하느라 현관에 나와 서
있었다.

찰리가 말했다.

"카레야. 맥스 형이 가장 좋아하는데 내가
기억하지 못한 음식이 바로 카레였어."

"카레구나."

헨리가 말을 이었다.

"아하, 이렇게 하자. 음식을 둘이 나누어 준비하는
거야. 내가 따분한 마마이트 토스트랑 바나나를
준비할게. 난 친동생도 아니고 그저 이웃에 사는
사람이잖아. 그러니까 너는 멋진 카레와 사과파이를
준비해. 맥스 형은 네 친형이고, 그래야 네가 형에게

아주 중요한 사람이 되잖아, 그렇지?"

찰리가 대답했다.

"그렇지. 내가 정말 중요하긴 하지! 알았어, 좋아!"

제3장

목요일, 생일잔치 이틀 전
초대장 만든 날

찰리와 헨리는 헨리의 컴퓨터로 초대장을 만들었다.

깜짝 생일잔치에 초대합니다!

토요일 오후 세 시
맥스와 찰리가 사는 거리에서

맥스에게는
절대로 비밀!

이건 진짜
깜짝 파티니까요!

초대장을 수십 장 뽑은 뒤 찰리는 집으로
돌아갔다. 찰리가 돌아간 다음 헨리는 다시 한 번
초대장을 들여다보았다.
　뭔가 설명이 부족한 것 같았다. 더구나 여기는
맥스와 찰리만 사는 거리도 아니었다.
　그래서 헨리는 혼자서 또 다른 초대장을 만들었다.

깜짝 생일잔치에 초대합니다!

토요일 오후 세 시
맥스와 찰리가 사는 거리에서
맥스에게는 절대로 비밀!
이건 진짜
깜짝 파티니까요!

헨리가 리코더로 노래 반주를 해 드립니다.

시시한 파티 놀이는 그만!

무언가 흥미진진한 놀이를 준비해 오세요!

(이건 헨리의 아이디어입니다.)

이 초대장은 헨리가 만들고, 헨리의 컴퓨터로 출력했음

찰리가 새 초대장을 보고 버럭 소리를 질렀다.

"네가 다 망쳤잖아. 이건 그저 너를 뽐내려고 만든 거잖아. 쓰레기통에 버릴 거야!"

찰리가 초대장들을 움켜쥐었다.

헨리가 다시 빼앗아 들었다.

찰리와 헨리는 초대장을 뺏고 뺏기고, 집 안팎으로 쫓고 쫓기며, 길거리를 이리저리 뛰어다녔다.

실랑이는 한참이나 계속되었다.

초대장은 구겨지기 시작했다.

그러다 그만 바닥에 떨어지고 말았다.

바람이 심하게 부는 날이었다. 구겨진
종잇조각들이 거리 곳곳에 휘날렸다. 남의 집
정원으로, 자동차 밑으로. 하수구로 빠지기도 하고
나무 위에 걸리기도 했다. 두 아이가 초대장을 다시
줍는 데는 오랜 시간이 걸렸다.

결국 초대장은 못쓰게 되어 버렸다.

헨리가 짜증을 내며 말했다.

"다시 만들어야 하잖아, 에이, 귀찮아!"

찰리가 말했다.

"넌 신경 쓸 거 없어.
내가 알아서 할 테니까."

사실 찰리는
초대장이 못쓰게 된
것이 조금은
다행스러웠다.
일단 초대장을

보내면 파티는 꼭 열어야 하기 때문이다. 파티를
여는 것은 좋지만 딱 한 가지가 걸렸다.

파티 음식.

찰리는 자신이 바나나와 마마이트 토스트를 맡고,
헨리가 카레와 사과파이를 만들어 주기를 바랐다.

무시무시한 카레와 끔찍한 사과파이.

악몽 같은 카레와 잠이 안 올 정도로 골치 아픈
사과파이.

하지만 헨리에게 속마음을 털어놓을 생각은
없었다. 대신 찰리는 이렇게 말했다.

"초대장을 만들기 전에 먼저 처리해야 할 일이
있어."

"어떤 일?"

"꾸미기."

헨리가 대답했다.

"그건 간단해. 우리 집 계단 아래 벽장에 장식

용품이 가득 들어 있는 상자들이 엄청 많아.
크리스마스 때 쓰고 남은 것들이야. 풍선도 있어."

"그리고 사람들이 와서 할 놀이."

"내가 그래서 초대장에 썼잖아."

헨리가 투덜댔다.

"흥미진진한 놀이를 하나씩 준비해 오라고 말이야.
만약 스무 명이 오면 스무 가지 흥미로운 놀이가
생기는 거야. 만약 사십 명이 오면 사십 가지 놀이가
생기는 거잖아! 만약 육십 명이……."

찰리가 깜짝 놀라 소리쳤다.

"육십 명? 만약 육십 명이 오면 그 육십 명에게
대체 뭘 먹일 건데? 넌 그 생각은 안 했구나!"

헨리는 우물거렸다.

"그 생각은 안 했는데. 그래도 우리 집에 새
마마이트가 한 병 있고, 침대 밑에 바나나도 잔뜩
쌓아 놨어. 할아버지네 집에 가서 더 가져올 수 있어.

그러니까 네가 카레만 준비하면 될 거야……."

찰리는 끙 소리를 냈다. 헨리가 덧붙였다.

"그리고 사과파이도."

제4장

금요일, 생일잔치 하루 전
찰리가 요리하는 날

금요일, 찰리는 아침 일찍 일어났다.

찰리가 엄마에게 물었다.

"엄마! 제가 요리를 배울 수 있을까요?"

"물론이지. 다들 요리를 배워야 해. 그런데 만들고 싶은 게 뭐니?"

"카레요."

엄마는 레디 블랙(시리얼의 한 종류 : 옮긴이)이나

달걀 스크램블처럼 훨씬 쉬운 것부터 시작해야
한다고 말했다. 그리고 찰리에게 만드는 법을 보여
주었다.

찰리는 엄마 몰래 레디 블랙에 카레 가루를
넣었다. 맛이 끔찍했다. 찰리는 달걀 스크램블에도
몰래 카레 가루를 넣었다. 세상에서 제일 형편없는
달걀 요리였다.

찰리가 한 짓을 알고 엄마가 찰리를 야단쳤다.

"단 5초도 너를 혼자 둘 수가 없겠구나."

말은 그렇게 했지만 엄마는 찰리를 5초 넘게 혼자
두고 전화를 받으러 갔다.

찰리는 카레가 어떻게 생겼는지 곰곰이 생각해
보았다. 주황색에, 건더기가 있고, 채소도 많이
들었던 것 같은데.

찰리는 재빨리 삶은 콩, 수프와 카레 가루를
섞었다. 건더기가 많아 보이게 치즈 덩어리를 넣고,

더 빨갛게 보이도록
토마토케첩을
넣었다가, 더 노랗게
만들기 위해 노란색
물감을 가져와 섞었다.
그리고 되직해 보이게
비스킷 조각들을
넣었다. 찰리는 카레와
아주 비슷해 보인다고
생각했다.

　잠시 후 찰리 엄마가 부엌으로 돌아왔다. 그리고
당연히 버럭 화를 냈다. 엄마는 찰리에게 그 카레를
버리라고 야단쳤다. 그리고 부엌에서 쫓아냈다.

　찰리는 몰래 카레를 양동이에 담아서 2층 선반에
감추었다.

　학교가 끝난 뒤에 찰리는 카레를 헨리에게 보여

주었다.

헨리는 카레 가루를 더 넣고 식어 빠진 파스타와 땅콩, 거기에 옥수수 통조림도 넣으면 좋을 것 같다고 하더니 자기 집에서 재료를 가져와 찰리가 말릴 틈도 없이 다 넣어 버렸다.

헨리는 몰래 가져온 숟가락으로 카레를 저으면서 말했다.

"한 가지 좋은 점은 양이 많다는 거야."

양은 많지만 지나치게 분홍빛이 돌아서 찰리와 헨리는 카레에 겨자와 커피를 넣었다. 그렇게 하니 색은 그럴듯한데 냄새가 이상해서, 이번에는 레몬주스를 넣었다.

헨리가 물었다.

"냉동실에 넣어야 하지 않을까? 세균이 생기지 않게 말이야."

세균이 생길지도 모른다는 생각에 찰리는

카레에다 감기약을 부었다.
헨리가 말했다.
"맛이 어떨까 궁금하네."
그러더니 말이 끝나기가
무섭게 덧붙였다.
"나는 카레 안 먹어. 난 양쪽
할아버지네 집에 다녀와서 바나나를
서른한 개나 구했어. 마마이트도 엄청 많이 구했고.
그러니 이제 네가 사과파이만 준비하면 될 거야."

찰리가 엄마에게 물었다.
"엄마, 사과파이는 어떻게 만들어요?"
찰리 엄마가 대답했다.
"지금 당장은 요리 강습까지 해 줄 여유가 없구나."
찰리는 아빠에게 물었다.
"사과파이는 어떻게 만들어요?"

찰리 아빠는 아마 이 세상에서 (아마도 찰리
다음으로) 가장 끔찍한 요리사일 것이다. 찰리
아빠는 열심히 궁리해 보았다.

"사과파이? 맥스가 가장 좋아하는 음식인데! 좋은
생각이다. 당연히 속에는 사과가 있을 것이고…….
그렇지 않니……? 그리고 겉에다 파이 반죽을 얹는
거지. 물론 사과는 으깨야 할 거야. 납작하게. 파이는
납작하니까. 밀대로 밀면 되겠네."

찰리 아빠는 의기양양하게 말했다.

"아주 간단하네."

찰리는 파이 속에 넣을 재료를 먼저 준비하기로
했다. 그래서 사과 세 개와 감자 으깨는 도구, 커다란
파이 접시 그리고 밀대를 꺼내 들고 정원 한구석으로
갔다.

처음에 사과가 잘 으깨지지 않았다. 감자 으깨는
도구로는 당연히 잘 으깨지지 않는다. 그건 마치

돌멩이나 구두처럼 도저히 으깨지지 않는 것을
으깨려고 하는 것과 같았다. 찰리는 감자 으깨는
도구를 포기하고 밀대로 사과를 공격했다. 찰리는
사과가 으스러질 때까지 두들겼다. 사과가 접시에서
다 튕겨 나갈 때까지 세게 쳤다. 찰리의 머리뿐만
아니라 옷 앞자락까지 온통 사과로 범벅이 되었다.
찰리는 사과 대신 자기 손가락을 내리치기도 했다.
눈에 사과즙이 들어가기도 했다.

"망할 놈의
사과 같으니!"
찰리는
투덜거리면서도
포기하지

않았다. 찰리는 아픈 손가락을 입으로 빨고, 시린 눈을
비비면서 포기하지 않고 사과를 공격했다. 한 손에는
밀대를, 나머지 손에는 감자 으깨는 도구를 들고
사과를 내리쳐 보았다.

사과들은 전부 접시 밖으로 튕겨 나가 잔디밭에
흩어졌다.

찰리는 버럭버럭 소리를 질렀다.

"이런 젠장, 망할 놈의 사과 같으니!"

누군가 깜짝 놀라며 물었다.

"아니, 너 지금 뭘 하는 거니?"

늙은 으깬 감자 선생님이 울타리 너머로
내려다보고 있었다.

찰리가 선생님을 노려보면서 말했다.

"울타리 너머로 쳐다보지 말라면서요."

"그래, 그랬지. 하지만 이상한 소리가 들려서,
궁금해서 견딜 수가 있어야지……. 그런데 너 사과를

가지고 무슨 짓을 하고 있니, 찰리?"

"맨날 야단만 치고……. 어렸을 때 그까짓 꽃을
꺾었다고……."

"아니, 아니야! 그건 오해란다!"

"그 호스로 선생님 정원에 물을 뿌릴 생각이
아니었다고요. 그냥 저절로 그렇게 된 거란
말이에요. 어쩔 수가 없었어요."

"그래, 맥스가 설명해 주었단다. 미안하구나."

"노래를 불렀다고 우리 엄마에게 다 이르고! 전
선생님이 노래를 불렀어도
선생님네 엄마에게
고자질하지는 않았을
거라고요."

"찰리, 난……."

"그런데 지금, 저를 왜
보세요? 선생님이

사과파이를 만들고 있는 동안에 제가 쳐다보면
싫다고 하실 거잖아요."

"사과파이?"

선생님은 뜻밖이라는 듯 되물었다.

"이게 다 사과파이를 만들려고 벌인 일이니?"

"당연하죠."

"난 그런 식으로 만들지 않는데."

찰리의 사과는 완전히 뭉개져서 갈색과 주황색이
섞인 축축한 건더기가 되어 있었다. 사과 속과 껍질
그리고 잔디가 뒤섞여 있었다.

찰리는 손가락으로 으깬 사과를 퍼 올렸다.
그러고는 손가락을 티셔츠에다 문질러 닦은 다음,
소매로 얼굴을 쓱 문질렀다.

늙은 으깬 감자 선생님이 물었다.

"요리하는 거 좋아하니?"

"아니요. 싫어해요."

찰리는 벌떡 일어나 사과 접시를 있는 힘껏 발로 찼다. 으깨진 사과가 정원에 흩어졌다.

"처음부터 다시 시작해야겠네."

찰리는 그렇게 말하고 고개를 푹 숙였다.

늙은 으깬 감자 선생님은 고맙게도 그 모습은 쳐다보지 않았다.

그때 선생님의 목소리가 들렸다.

"난 요리하는 걸 정말 좋아하는데. 특히 사과파이 만드는 걸 좋아하지. 어떤 종류의 사과파이를 만들 생각인데?"

찰리는 콧방귀를 뀌었다.

"따뜻한 거 아니면 차가운 거? 큰 거 아니면 작은 거? 네모 모양 아니면 둥근 모양?"

찰리는 청바지에 코를 문질러 닦으며 대답했다.

"생일 파티에 쓸 거요. 맥스 형이 가장 좋아하는 파이가 사과파이거든요. 내일이 형의 생일이에요."

"생일 케이크 대신 사과파이! 정말 근사한
생각이구나!"

늙은 으깬 감자 선생님은 그렇게 말해 주었다.

그때부터 늙은 으깬 감자 선생님과 찰리는 친구가
되었다.

금요일 저녁에 찰리가 마지막으로 한 일은 카레
양동이를 헨리네 창고에
보관하기 위해 헨리네
집으로 가지고 간
일이었다.

가는 길에 찰리는
노란 자동차 아저씨를
만났다. 아저씨는
찰리의 양동이를
들여다보았다. 처음에

무심코 양동이를 힐끗 보다가 아무래도 이상한지
나중에는 유심히 들여다보며 물었다.

"그게 뭐니?"

"카레요!"

"아닌데."

찰리가 우겼다.

"맞아요!"

"네가 나한테 말한 그 카레? 네 형 맥스가
좋아한다는 그 카레라고? 네가 내 자동차에 써
놓았던 그 카레라고?"

"예."

노란 자동차 아저씨가 말했다.

"이건 카레가 아니야."

제5장

토요일 아침
깜짝 파티에 필요 없는 것

토요일 아침, 찰리가 일어나 보니 맥스는 여전히 자고 있었다. 2층 침대 아래쪽에서 잠을 자는 찰리는 맥스가 잠에서 깰 때까지 위쪽 침대 밑을 발로 찼다.

"맥스 형, 맥스 형! 그러다 스쿨버스 놓친다."

맥스가 침대에서 굴러떨어지듯 내려와 화장실로 뛰어 들어갔다. 그리고 샤워기에 머리를 들이밀더니, 이내 물을 뚝뚝 흘리면서 침대로 돌아와 말했다.

"오늘은 토요일이잖아!"

찰리는 놀라는 시늉을 하면서 능청을 떨었다.

"그래? 이런 세상에! 아, 그렇구나! 몰랐네! 에이,
저리 가! 형은 다 젖었잖아! 놔줘! 생일 축하해!
내가 선물을
준비했어! 보고
싶지 않아?"

맥스는 물론
보고 싶다고
대답했다. 맥스는
찰리의 머리로
바닥 쓸기를

멈추고 선물을 뜯었다. 찰리가 고른 선물은 엄청나게
큰 검은색 선글라스였다.

"이건 완전 이 세상에서 내가 제일로 원했던 거야."

맥스는 그 자리에서 바로 선글라스를 썼다.

아침을 먹으러 내려가 보니 선물이 더 많았다.
할머니가 보내 주신 비니(머리에 딱 맞는 동그란
모자 : 옮긴이). 집에서 기르는 고양이 수지가 준
몰티저 초콜릿. 엄마와 아빠가 준 스케이트보드와
카메라.

"정말 멋져요!"

그렇게 말하고 맥스는 식구들 모두의 사진을
찍었다. 선글라스를 쓴 찰리, 비니를 쓴 수지 그리고
스케이트보드를 탄 엄마와 아빠.

맥스가 사진을 찍고 있을 때 헨리가 들어왔다.
헨리는 아무것도 모른다는 듯 물었다.

"다들 오늘 뭐 하세요?"

"뭐 늘 똑같은 시시한 일들이지."

찰리는 그렇게 대답하고는 속으로 몰래 웃었다.

"별로 특별한 일은 없는데."

찰리 엄마도 그렇게 대답했다. 찰리 엄마는
토요일에는 보통 쇼핑을 하고, 정원을 돌보고,
진공청소기를 돌리고, 그 밖에 일주일 내내 시간이
없어서 하지 못한 모든 일들을 했다.

찰리 아빠가 말했다.

"그냥 둘러봐야지."

찰리 아빠는 토요일에 주로 일주일 동안 생긴
문제들을 해결했다. 고장 난 물건을 고치고, 잔디를
깎고, 돈을 어디에 얼마나 썼는지 계산해 보고, 짬을
내서 축구를 하려고 하지만 아주 잠깐밖에 하지

못했다.

맥스가 말했다.

"난 사진을 찍고 있어."

그러더니 리코더를 불고 있는 헨리를 찍었다.
룰루가 목줄에 매인 강아지 세 마리와 마음대로
돌아다니는 토끼 두 마리와 함께 있는 모습, 늙은
으깬 감자 선생님이 울타리 너머로 찰리 엄마에게
귓속말을 하는 모습, 노란 자동차 아저씨가

스포츠카 옆에서 거드름을 피우는 모습 그리고
말하지 않아도 오늘이 맥스의 생일이라는 사실을
다 아는 듯 미소를 짓는 이웃들의 모습을 찍었다.

그런 다음 맥스는 학교, 동네에서 가장 맛있는
과자 가게 그리고 찰리의 머리가 끼여 구조대가
출동해서 잘라 내고 나서야 겨우 빠져나왔던
쓰레기통 같은 중요한 장소들을 찍으러 나갔다.
맥스가 나가자, 찰리 부모님은 서로를 바라보더니
말했다.

"세상에, 서둘러야 해요."

헨리는 집으로 돌아가 계단 아래 벽장에 뒤엉켜
있는 산더미같이 많은 크리스마스 장식을 꺼내
열심히 풀었다. 그리고 찰리는 옆집으로 가서 이제
친구가 된 늙은 으깬 감자 선생님과 함께 거대한
사과파이를 굽기 시작했다.

늙은 으깬 감자 선생님이 물었다.

"그런데 파이가 언제 필요하니? 지금, 아니면 나중에?"

"나중에요. 깜짝 놀라게 할 거니까요."

두 사람은 파이가 식도록 식탁에 꺼내 놓았다. 그런 다음 늙은 으깬 감자 선생님은 생일 파이에 꽂을 초를 사러 나갔다. 찰리는 헨리네 집으로 달려갔다.

헨리는 친척들 집의 과일 그릇에서 훔쳐 온 엄청나게 많은 바나나 더미를 보며 흐뭇해하고 있었다. 헨리는 또 빌린 토스터를 방에 가져다 놓고, 새 마마이트 병을 따고, 냉동실에서 꺼낸 커다란 빵 두 덩이를 누비이불에 싸서 녹이고 있었다.

찰리가 물었다.

"너희 엄마가 눈치채지 않으셨어?"

헨리는 오늘은 엄마가 아무것도 눈치채지 못할 거라고 했다.

"엄마가 요리를 하느라 정신이 없으시거든. 집에 있는 감자를 다 써 가면서 웨지 감자튀김을 수도 없이 많이 만들고 계셔."

찰리도 말했다.

"우리 엄마도 샐러드를 만든다고 온갖 채소를 자르느라 정신이 없으시더라. 식구들에게 비타민을 많이 먹이려고 하시는 모양이야. 아빠는 정원에서 코코넛을 가지고 씨름하는 중이셔. 그건 그렇고

우리가 제일 먼저 할 일이 뭐지? 토스트를 만들까,
거리를 장식할까?”

“장식을 해야지.”

헨리는 반짝이는 색색의 장식용 줄들을 한 아름
집었고, 찰리는 자신이 만든 현수막을 들었다.

찰리와 헨리는 거리로 나갔다. 그러자 처음으로
찰리는 걱정이 되기 시작했다.

늘 친숙하던 거리가 그렇게 휑해 보일 수가 없었다.

문이 열려 있는 집이 없었다.

이웃집 정원에서 아무 소리도 들리지 않았다.

사람들이 없었다.

게다가 주차장에 늘 있던 자동차들도 없었다.
자동차들은 이상하게도 골목 끝에 어수선하게 모여
있었다.

개 짖는 소리도 들리지 않았다.

어슬렁거리며 돌아다니는 고양이도 없었다.

룰루네 집 앞에 있던 토끼 우리도 보이지 않았다.

너무나 적막했다.

찰리는 갑자기 배가 차가워지고 불편한 느낌이
들었다. 하지만 아무 말도 하지 않았다. 찰리는
헨리를 도와 피크닉 탁자를 거리로 끌어다 놓았다.
그리고 장식을 시작했다.

가로등에 셀로판테이프로 장식을 붙이는 일은
너무나 어려웠다.

크리스마스 장식용 줄은 도망이라도 치고 싶은 듯
바람을 타고 자꾸
멀리 휘날렸다.

현수막을 다는
건 더 힘들었다.

풍선도 제대로
크게 불어지지
않았다. 찰리와

헨리가 눈에서 별이 보이고 어지러울 때까지 힘껏
불어도 풍선은 납작한 그대로였다.

헨리가 말했다.

"아마 이래서 크리스마스 때 쓰지 않았나 봐."

찰리는 한숨을 짓더니 말했다.

"안으로 들어가서 토스트나 만들어야겠다."

헨리의 방으로 돌아오자 기분이 나아졌다. 찰리는
토스트를 굽고 헨리는 마마이트를 발랐다. 둘은
부엌에서 가져온 커다란 접시 두 개에 토스트를
쌓았다.

헨리가 즐거운 듯 말했다.

"어쨌든 토스트는 충분해. 이제 밖으로 가지고
나가자. 너는 바나나를 들고 와! 카레는 어떻게 됐어?"

찰리는 짜증을 내며 되물었다.

"카레가 뭐?"

노란 자동차 아저씨를 만난 이후로, 찰리는 자기가

만든 카레에 대해 지나치게 예민해져 있었다.

"양동이에 담긴 채 차갑게 식으니 보기가 좀
그렇더라고."

헨리가 말하자, 찰리가 톡 쏘아붙였다.

"사람들에게 나누어 줄 때는 차갑지 않을 텐데, 뭐.
전자레인지에 데워서 가지고 나갈 거야. 접시에
담아서. 오늘 아침에 보니, 부엌에 종이 접시가
엄청나게 많더라고. 그 접시를 빌릴 거야. 사과파이를
빨리 내오면 좋겠는데. 늙은 으깬 감자 선생님은 초를
사러 가서 무슨 시간이 이렇게 오래 걸리는지
모르겠네."

찰리와 헨리는 피크닉 탁자에 사과파이를 놓을
자리를 비워 놓았다. 토스트는 카레 양동이 옆에
놓았다. 그리고 식탁 가장자리에 바나나를 죽
늘어놓았다.

찰리가 말했다.

"전부 맥스 형이 좋아하는 것들이네."

하지만 이상하게도 맥스가 좋아할 만한 음식같이 보이지 않았다.

축축 늘어진 크리스마스 장식들도 어쩐지 제대로 된 장식 같지 않았다.

찰리가 매달아 놓은 현수막 역시 끔찍하기 짝이 없었다.

뭔가 잘못되어 가고 있었다.

파티 분위기가 전혀 나지 않았다.

헨리가 말했다.

"사람들이 모이기 시작하면 내가 리코더를 불게. 곧 와야 할 텐데."

그때 찰리는 무엇이 잘못되었는지 깨달았다. 찰리는 속이 뒤틀리는 것 같았다.

"헨리! 헨리!"

찰리가 외쳤다.

"초대장! 초대장이 다 날아갔잖아."

"그래, 하지만 우리가 다
주웠잖아. 있는 대로 다
주웠는데……. 그리고
네가 집으로 모두
가져갔잖아, 아니야?"

"맞아, 그런데……."

"그리고 네가 알아서
한다고 나보고 신경 쓰지 말라며."

찰리는 신음 소리를 냈다.

헨리는 대답을 기다렸다.

"그런데 내가 깜박했어."

"깜박했다고?"

찰리가 고개를 끄덕였다.

"아무한테도 초대장을 보내지 않았다는 말이야?"

찰리는 또 고개를 끄덕였다.

헨리는 화가 나서 말했다.

"아니, 그럼 아무도 안 온다는 소리네."

"그렇지."

"이 토스트들을 아무도 먹지 않을 거고!"

"그래."

"바나나를 힘들게 서른한 개나 구해 놓았는데,
찰리!"

"그러게 말이야."

"그리고 내가 이 파티를 위해 얼마나 오랫동안
리코더를 연습했는지 알아?"

"나도 알아."

"그런데 초대장을 보내지도 않았다고? 그럼
파티고 뭐고 없는 거잖아!"

"그렇지."

헨리는 배수로 위에 앉아 늑대처럼 울부짖었다.
찰리는 헨리 옆에 앉아서 고개를 팔에 묻고 한참

동안 아무 말도 하지 않았다. 그러다 마침내 이렇게
말했다.

"그나마 형에게 아무 소리도 하지 않아서
다행이야."

헨리가 말했다.

"내가 했는데."

"뭐라고?"

헨리가 다시 대답했다.

"내가 했다고. 오늘 아침 맥스 형이 사진을 찍고
있을 때 말했어. '오늘 오후에 사진 찍을 일이 아주
많을 거야, 형' 하고 말이야. 맥스 형이 '그래?'
그래서 내가 '세 시에 한번 이리로 나와 봐, 형. 그럼
깜짝 놀랄걸!'이라고 했어. 그러니까 맥스 형이……
맥스 형이……."

헨리는 침을 꿀꺽 삼켰다.

"맥스 형이 '무슨 일이 있어도 꼭 참석할게'라고

했어."

　그렇게 말하고 헨리는 무릎에 고개를 묻었다.
이제 찰리가 늑대처럼 울부짖을 차례였다.

제6장

토요일 오후
생일 잔치!

찰리가 여전히 울부짖고 있을 때, 맥스와 제일 친한, 윗동네에 사는 마이크가 같은 반 친구들 일고여덟 명을 데리고 나타났다. 마이크와 친구들이 물었다.

"이게 파티야?"

"맥스를 위한 생일 파티라고? 깜짝 파티라는 게 이거야? 저걸 장식이라고 달았니?"

"기가 막혀서."

그리고는 장식용 줄을 잡아당겨 제대로 걸기
시작했다.

"풍선이다!"

마이크와 친구들은 그렇게 소리치더니 '후!' 하고
불었다. 그러자 순식간에 풍선이 커졌다.

"줄!"

마이크가 명령하자, 찰리가 얼른 달려가서
가져왔다.

마이크와 친구들은
본격적으로 장식을 하기
시작했다. 서로서로
받쳐 주어 가로등
위로 올라가 풍선을
한 아름씩 매달았다.
입에 장식용 줄을

물고 담장 위를 걸어가기도 했다.

현수막도 팽팽하게 잡아당겨 나무에 단단히 맸다.
마이크와 친구들은 탁자에 선물을 쌓더니
시디플레이어 세 대를 가져와서 각각 다른 음악을
틀었다.

찰리가 물었다.

"깜짝 파티에 와야 하는 줄 어떻게 알았어?"

마이크가 바람에 날아갔던 초대장을 찰리의
코앞에서 흔들어 대며 말했다.

"길거리에서 주웠어."

그때 룰루가 한 손에는 토끼를 들고, 다른 한
손에는 감자 칩을 마흔여덟 봉지나 들고 펄쩍펄쩍
춤을 추며 나타났다. 룰루가 알려 주었다.

"트럭이 들어올 자리를 비워 둬야 해. 그리고
엄마가 탁자가 더 필요할 거라며 뒤뜰에 있는
우리 집 탁자를 밖으로 내놓으라고 하셨어."

찰리가 물었다.
"넌 어떻게 알았는데?"

룰루도 바람에
날아갔던 초대장을
보여 주며 자랑하듯
말했다.
"사랑스러운 우리 집
검둥이 로크가 물어 왔던데."
헨리네 집에서 또 하나의
탁자가 나오고 있었다.

콜라.

레모네이드.

치즈 소스.

그리고 따뜻한 웨지 감자튀김.

프리스비를 들고 나타난 또 다른 남자아이들.

원격 조종 비행기.

스케이트보드.

축구공.

그리고 시장에서 사 온 소풍에 필요한 물건들.

트럭이 도착했다. 트럭은 좁은 골목에서 이리저리
애를 쓰다 우여곡절 끝에 룰루네 집 앞 도로에
바운시 캐슬(튜브로 만든 커다란 성 모양의 놀이
기구 : 옮긴이)을 내려놓고 갔다.

여자아이들도 무리 지어 나타났다. 장식용 줄,
시디플레이어, 딸기와 커다란 조화를 더 많이
가지고 왔다.

여자아이들이 물었다.

"맥스는 어디 있니?"

남자아이들 중 하나가 대답했다.

"마이크가 집에서 맥스를 지키고 있어. 아마
세 시가 되면 나타날 거야."

세 시 정각이 되자, 정말 마이크네 현관문이 확

열리더니 맥스가 새
비니에 새 선글라스를
쓴 채 미소를 지으며
나타났다.

모든 사람들이 소리쳤다.

"깜짝 놀랐지?"

찰리가 외쳤다.

"안녕, 형!"

맥스가 말했다.

"이런 세상에! 정말 멋진데!"

마이크가 맥스를 거리로 밀었다. 여자아이들은
맥스에게 사람 크기만 한 분홍색 데이지 꽃다발을
주었다.

헨리가 말했다.

"어떻게 생각해? 상상이나 했어? 이것 봐, 바나나가
서른한 개나 있다고. 카메라 갖고 왔어, 형?"

맥스가 대답했다.

"물론이지."

맥스는 바나나 서른한 개를
든 헨리를 찍었다. 그리고
분홍색 데이지 꽃다발을 든
찰리의 사진도 찍었다.

마침내 화려한 깜짝 생일 파티가 시작되었다.

룰루는 토끼 여섯 마리를 바운시 캐슬에
집어넣었다. 찰리 엄마와 아빠가 코코넛 샤이(접시
위에 놓인 코코넛에 공을 던져서
떨어뜨리는 놀이 : 옮긴이)
기구를 들고 나왔다.
핫도그도 있고
샐러드도 엄청나게
많았다.

늙은 으깬 감자

선생님은 집에 돌아와서, 문이 안에서 잠겨 있는 것을 알았다. 남자아이들이 찰리를 선생님네 집 화장실 유리창까지 들어 올려, 찰리가 유리창으로 기어들어 가 사과파이를 간신히 꺼내 왔다.

거리에 있는 모든 집의 문이 열렸다. 심지어는 노란 자동차 아저씨네 문도 열렸다.

축구 시합이 시작되었다. 사람과 강아지 들이 한데 어울려 뛰는 시합이었다. 룰루는 심판을 봤다.

"앉아!"

룰루가 그렇게 외치면 선수 중 절반이 제자리에 앉았다.

찰리가 이름을 다 댈 수 없을 만큼 많은 사람들이 파티에 참석했다. 찰리가 셀 수 없을 만큼 많은 음식이 있었다. 귀로 다 들을 수 없을 만큼 많은 음악이 나오고, 찰리가 한 번도 생각해 보지 못한 놀이가 벌어졌다. 많은 사람들이 찰리에게 다가와

계속 이렇게 말했다.

"잘했다, 찰리!"

"아주 훌륭해, 찰리!"

"멋지구나, 찰리!"

찰리는 사람들에게 대답했다.

"헨리랑 같이 한 거예요. 그런데 헨리가 아직
리코더를 불 기회가 없었네요."

헨리가 의자에 서서 리코더를 부는 동안, 온 거리가
헨리의 연주를 듣기 위해 조용해졌다. 헨리는 거의
틀리지 않고 〈반짝반짝 작은 별〉을 세 번이나
연주했다.

파티가 끝날 무렵에는 불꽃놀이도 있었다. 맥스의
나이에 맞게 열두 개의 폭죽을 터뜨렸다.

찰리는 밤이 깊어서야 잠자리에 들었다. 침대에
누워도 잠이 오지 않아, 찰리는 가장 좋았던 순간들을

떠올렸다. 비행기 경주. 헨리의 리코더 소리에 맞춰
온 거리에 있던 사람들이 룸바(중앙 아메리카 쿠바의
춤 : 옮긴이)를 추었지만, 맥스는 사진을 찍느라
무사히 춤을 피할 수 있었다. 그리고 커다란 쟁반을
들고 나타난 노란 자동차 아저씨.

　아저씨는 쟁반을 들고 나타나서 고개를 끄덕이며
말했다.

"쌀밥도, 난(화덕에 구운 인도식 빵 : 옮긴이)도 있다. 이건 포파덤(기름에 얇게 튀긴 인도식 빵 : 옮긴이)이지. 그리고 이게 바로 카레다!"

맥스가 환호성을 질렀다.

"와!"

노란 자동차 아저씨는 찰리의 양동이를 식탁에서 치워 버리면서 말했다.

"이건 카레가 아니야!"

나중에 노란 자동차 아저씨는 맥스를 도와, 찰리와 헨리를 탁자 위에 올라가게 한 다음 칭찬해 주었다.

맥스도 모든 사람들도 이제껏 열린 파티 중에 가장 멋진 파티였다고 말했다. 가장 훌륭했던 생일 파티. 가장 멋졌던 깜짝 파티.

졸음이 쏟아지는 와중에도 찰리는 다 잘됐다고 생각했다. 하지만 여전히 궁금증이 가시지 않았다.

정말 깜짝 파티였을까?

맥스가 정말 깜짝 놀랐을까?

정확한 시간에 딱 맞는 음식을 들고 나타난 수십 명의 사람들 가운데 단 한 사람이라도, 깜짝 놀란 사람이 있을까?

찰리는 하품을 하면서 생각했다.

'흠, 그럴지도 모르고 아닐지도 모르지. 어쨌든 난 정말 깜짝 놀랐어!'

찰리는 멋진 형 맥스에게 깜짝 생일잔치를 열어 주려고 합니다. 형에게 생일 파티를 열어 주고 싶은데, 파티라면 질색을 하는 형이라서 이름만 잔치로 바꾸어 깜짝 파티를 열 계획을 세웠지요. 찰리와 가장 친한 친구인 헨리도 나섰습니다. 찰리와 헨리는 자신들만의 힘으로 초대장을 만들고, 장식을 하고, 음식도 준비하려고 합니다. 깜짝 파티이니만큼, 형이 모르게 준비해야 해서 집이 아니라 길거리 생일 파티를 준비합니다.

무엇보다 걱정인 것은 음식 준비입니다. 크림을 싫어하는 형을 위해 케이크 대신 사과파이를 만들려고 하지만 쉽지 않습니다. 형이 제일 좋아하는 카레도 만들어 본 적 없는 음식이고요. 길거리 장식도 만만치 않습니다. 설상가상으로 찰리와 헨리는 초대장을 만들어 놓고는 사람들에게 보내는 것을 잊어버립니다. 다행히 굴러다니던 초대장을 본 맥스의 친구와 가

족들 그리고 동네 사람들이 모두 한뜻으로 도와줍니다. 모든 사람들의 도움으로 형을 위한 찰리의 깜짝 생일잔치는 성공을 거둡니다.

마음은 기특하지만 찰리가 헨리와 둘이서 파티를 준비하는 것은 처음부터 불가능한 일이었을지 모릅니다. 여러 사람들의 도움이 없었다면 절대 할 수 없었겠지요. 찰리가 무서워하고 미워하던 사람들도 찰리의 예쁜 마음을 알아주고 선뜻 도움을 주겠다고 나섰습니다. 여러분들도 사랑하는 엄마 아빠, 혹은 형 오빠 동생들을 위해 깜짝 파티를 계획해 볼래요? 쉽지는 않겠지만 아마 도움을 주겠다고 나설 분들이 생각보다 많을 거예요. 걱정하지 말고 한번 용감하게 도전해 보세요. 사랑하는 마음을 보여 줄 좋은 기회이니까요.

지혜연